Jeunesse

ÉVELYNE BRISOU-PELLEN

LA VENGEANCE DE LA MOMIE

Illustrations :
Nicolas Fructus

DU MÊME AUTEUR DANS
Le Livre de Poche Jeunesse

Deux ombres sur le pont
Le cosaque dans la neige
Les Cinq Écus de Bretagne
Les portes de Vannes
L'année du deuxième fantôme
L'héritier du désert
Deux graines de cacao

1

Les pilleurs de tombeaux

Les ombres se glissaient dans la nuit. Nul bruit. Quatre grandes ombres, et une petite qui suivait.

De temps en temps, une grande ombre se retournait, et bousculait la petite, en l'insultant, en menaçant. Mais la petite ombre s'accrochait, ne voulait pas renoncer : Khay avait fermement décidé que ce métier serait le sien, et il n'en démordrait pas.

« Va-t'en, Khay, retourne chez toi, tu es trop jeune. Pilleur de tombeaux, c'est un métier d'homme. »

Khay se laissait tomber à terre sous les gifles, puis il rampait sournoisement, et reprenait sa place à la fin de la file.

L'homme, devant lui, se découragea, et surtout, il ne voulait pas faire de bruit, pour que personne ne les entende. S'il frappait trop fort le garçon, celui-ci pouvait se mettre à crier, et leur expédition serait fichue.

Pourtant, il n'aurait pas raison de Khay : Khay était orphelin, et il avait appris depuis longtemps que s'il voulait survivre, il devait se cramponner, ne jamais se laisser abattre, ni dicter sa conduite.

Ils s'arrêtèrent enfin. Sur le sol, apparaissait un espace plus sombre, en creux, bordé d'une longue pierre. Les quatre hommes se mirent aussitôt à genoux pour dégager le sable à grands coups de bras. Khay s'assit et les regarda faire.

Bientôt apparut un escalier. Deux marches, trois marches, dix. Une porte qui s'ouvrait dans un mur, sous le sable du désert. Pour les pilleurs de tombes, une porte n'est pas un problème. Le problème, c'est après, quand on est dans le couloir sombre.

Ils étaient maintenant descendus profondément sous la terre. On n'y voyait rien. Les hommes allumèrent des torches. Un long moment, ils demeurèrent dans l'ombre, sans bouger, à réfléchir en regardant autour d'eux.

Surtout, il ne fallait pas se perdre dans le labyrinthe des galeries sans issue, et trouver avant les premières lueurs du jour le chemin du tombeau souterrain.

Enfin, le plus vieux fit un signe. Se glissant dans le couloir de gauche, il monta les quelques marches, se pencha, haussa sa torche, chercha les indices qui les guideraient. Il parut satisfait.

Sans dire un mot, les quatre hommes avancèrent prudemment, se courbant jusqu'à ramper dans les endroits difficiles. Khay suivit en silence, le cœur battant, espérant se faire oublier.

Quand il se redressa, derrière les hommes, il n'en crut pas ses yeux : ils venaient d'arriver dans une vaste pièce ornée de peintures immenses, représentant de très grands personnages, des animaux sacrés, des scènes étranges.

Au fond, le mur tout entier était couvert de petits dessins, que Khay croyait être de l'écriture, mais qu'il n'aurait su déchiffrer. Au centre de ce mur, on voyait, entre deux statues de taille humaine, un espace lisse.

Les quatre hommes se mirent à frapper cet endroit dégagé avec de lourds marteaux de bois. Le mur se fissura. Peu à peu, un trou s'ouvrit dans la paroi, donnant accès à une salle plus petite, à l'entrée de laquelle veillait une statue du dieu-chacal Anubis. De son socle de pierre, il semblait surveiller les intrus d'un œil sévère. Khay détourna les yeux. Soudain, voilà qu'il se sentait un peu coupable... Mais de quoi ? Tous ces trésors dormaient là depuis l'éternité, ils ne servaient à rien ni à personne. Il ne faisait aucun mal en se les appropriant !

Son raisonnement le rassura. Derrière le chacal de pierre qui gardait la tombe, il apercevait des statuettes d'or ou de bronze, des coupes d'argent, des coffrets, de grands paniers qui avaient sans doute été pleins jadis mais ne contenaient plus aujourd'hui que poussière, des vases d'albâtre dans une armoire – ceux qui avaient recueilli les entrailles du mort –, des bâtons gravés, des dagues à lame d'or, et même un chasse-mouches en plumes d'autruche.

Sur la droite, en retrait, on devinait la chambre funéraire et son sarcophage.

Aussitôt les quatre hommes déplièrent des sacs qu'ils portaient sous le bras et commencèrent à y entasser les objets les plus précieux. Khay voulut faire comme eux ; il fut brutalement repoussé.

« Si vous ne me laissez rien prendre, menaça-t-il, je vous dénoncerai. »

Les quatre paires d'yeux le fixèrent d'un regard mauvais, si mauvais que le garçon recula avec prudence. Ces hommes pouvaient tout aussi bien le tuer sur place, et nul, jamais, n'en saurait rien.

Le plus vieux eut un geste d'apaisement :

« Si tu nous aides, dit-il, tu auras ta part. »

Khay respira mieux.

« Nous ne pouvons pas tout emporter dans des sacs, continua l'homme. Va très vite couper des papyrus pour faire une nacelle, et ramène-la ici le plus rapidement possible. »

Comme Khay hésitait, on lui mit une torche

dans la main, et on le poussa violemment dehors :

« Dépêche-toi, c'est très urgent, et sois de retour avant le matin. Il faudra emporter le butin pendant qu'il fait encore nuit.

— Comment est-ce que je vous retrouverai ?

— Es-tu assez sot pour n'avoir pas bien vu le chemin ? Cesse de perdre du temps ! »

Que faire ? La mort dans l'âme, Khay se résolut à obéir : il voyait bien que sa part du butin était à cette condition.

Seul dans le couloir sombre, il se mit à réfléchir. Sortir était facile, il suffisait de suivre la pente montante, toujours. Mais quand il serait en haut, il pouvait se tromper pour revenir, car il y avait plusieurs couloirs descendants.

Il déchira du bas de son pagne une petite bande qu'il laissa tomber à l'entrée de la galerie menant à la tombe.

Dehors, il faisait doux. La nuit était claire et pleine d'étoiles, Khay cacha sa torche sous des pierres et courut vers le Nil.

Dans les marécages qui bordaient le fleuve, il savait où trouver les plus beaux papyrus, solides,

ceux avec lesquels on fabriquait les bateaux légers. Du couteau de pierre tranchant qu'il portait toujours à la ceinture, il en coupa de grandes brassées, puis entreprit de les assembler adroitement en les liant, de les réunir à chaque bout en un faisceau serré : instinctivement, il construisait une barque, c'est tout ce qu'il savait faire.

La lune était pleine, et lui facilitait la tâche, mais bien qu'il ne cherchât pas à faire un grand bateau, l'opération lui prit tout de même une partie de la nuit.

Enfin il revint le plus vite possible vers l'entrée du tombeau en traînant la longue nacelle derrière lui, reprit sa torche et pénétra de nouveau dans le couloir sombre.

À la lumière vacillante, les fortes pierres des murs renvoyaient des éclats inquiétants. Il ne fallait pas y penser, il fallait avancer. Sur les dalles du sol, la bande de tissage était toujours là. Elle le guida dans la bonne direction.

Franchir le passage le plus étroit du boyau lui donna un peu de mal, à cause de sa barque qui frottait partout, mais il arriva sans encombre à l'entrée de la salle du trésor.

Il resta tout d'abord stupéfait, puis la colère l'envahit ; les pilleurs étaient partis, emportant tout, les vases, les statuettes, les dagues. Tout. Tout, sauf le sarcophage, qui était ouvert, et la statue du chacal Anubis, qu'ils avaient fait tomber de son socle.

Khay faillit en hurler de rage. Le sentiment de l'injustice dont il était victime lui brouillait la vue. L'injustice, c'était ce qu'il supportait le moins. Il serra les poings. Enfin, rassemblant ses esprits, il se dit que le jour allait bientôt se lever et, qu'au moins, il pourrait emporter la statue de pierre du dieu-chacal.

Il se baissa pour la soulever. Hélas ! il ne put la bouger. Les pilleurs de tombeaux l'avaient laissée, simplement parce qu'elle était trop lourde et sans grande valeur. Khay appuya son front contre la tête du chacal qui était tombé et ne se relèverait jamais, et se mit à pleurer.

Ses larmes le soulagèrent. Ses yeux revinrent vers le sarcophage, dont le couvercle gisait à terre. Ce couvercle représentait un homme allongé, tenant entre ses mains, croisées sur sa poitrine, un sceptre et un fouet.

Le sarcophage était trop lourd, il le savait. Inutile de penser le sortir d'ici.

Il s'approcha pour regarder dedans : évidemment, il était vide, toutes les offrandes, les amulettes, tous les bijoux avaient été enlevés, les plaques d'or et les pierres tapissant l'intérieur arrachées.

Soudain, Khay aperçut quelque chose de blanc, derrière le sarcophage. Il en fit le tour : c'était la momie, face contre terre, serrée dans ses bandelettes. On avait ôté ses bijoux et ses ornements de cou, et on l'avait abandonnée là, comme un vieux chiffon.

Le cœur battant d'appréhension, il la retourna du bout du pied. Le visage était découvert. Il lui parut accusateur, comme si le mort le rendait responsable de ce qui était arrivé.

Un peu impressionné, Khay replaça soigneusement sur la poitrine de la momie le collier de fleurs de lotus, tout desséché. Voilà que soudain, il ne se sentait pas tranquille. Une sorte de crainte indéfinissable l'empêchait de partir en laissant la momie dans cette position inconfortable et peu digne. Au moins se devait-il de la remettre dans son sarcophage.

Non sans quelque inquiétude, il se décida enfin à la soulever par les épaules.

Il fut surpris : elle n'était vraiment pas très lourde. Cette constatation toute simple, qui ramenait la momie au modeste rang d'objet, le rassura totalement. La pensée lui vint alors qu'elle paraissait faire juste la même longueur que la nacelle qu'il avait préparée, juste la même largeur...

Presque sans le vouloir, au lieu de coucher la momie dans son sarcophage, il la glissa dans la barque de papyrus. Bien. Il emporterait au moins quelque chose. Tirant son fardeau derrière lui, il se dirigea vers la sortie.

Au moment de passer le mur défoncé, il eut un dernier regard pour la statue du dieu-chacal, toujours gisant sur le flanc. Il eut pitié du dieu. Il se pencha, le prit par le cou et, rassemblant ses forces, dans un grand effort, parvint à le redresser.

La statue avait été abîmée. Sur le côté de la tête qui avait touché le sol, un grand morceau de pierre s'était détaché. Khay n'y prêta aucune attention. Il était pressé par le temps. Il saisit le bateau de roseau et quitta la tombe.

2

La momie

Râ, le dieu-soleil, brûlait la plaine. Khay se réfugia au bord du Nil et tira sa nacelle à l'ombre des papyrus. Il souleva légèrement la claie qu'il avait tressée pour recouvrir la momie, et qui donnait à la petite barque verte une allure de sarcophage. Le regard vide du mort le fit frissonner. Il en arrivait à se demander pourquoi il avait emporté cette momie. Que voulait-il en faire ? Il ne réussirait sûrement pas à la vendre, les gens auraient trop peur du mort... Mais les morts sont inoffensifs, n'est-ce pas ? Les morts sont morts, c'est tout.

Khay préférait ne pas trop y penser, et par chance, son attention fut attirée ailleurs, par un clapotis au bord de l'eau. Il s'avança silencieusement, espérant prendre un poisson, et plongea la main d'un coup. Le contact le surprit, il faillit lâcher prise.

« Un chacal ! s'étonna-t-il. Comment un chacal peut-il se noyer, et dans si peu d'eau ? »

Ce n'est qu'à grand-peine qu'il réussit à tirer l'animal au sec. Bien mal en point, le pauvre chacal ! Sur le côté de la tête, il portait une large blessure, tout un grand morceau de peau arrachée. Avait-il été frappé avant d'être jeté dans l'eau ?

Khay le prit par les pattes arrière et le souleva, en lui maintenant la tête en bas pour lui faire rejeter l'eau qu'il avait dû avaler, puis le coucha sur le sol et lui appuya sur le ventre.

Un dernier vomissement. Le chacal souleva lourdement sa tête.

« Eh bien, lui dit Khay, tu as eu de la chance de me trouver ! »

L'animal fixa sur lui ses grands yeux désolés, puis il laissa tomber sa tête et s'évanouit.

Khay mit la main sur le poil trempé : le cœur battait toujours. Il nettoya la blessure et allongea l'animal à l'ombre. Le mieux, pour un blessé, était de dormir.

Il faisait maintenant une chaleur étouffante, et pourtant Khay sentait la faim lui tordre l'estomac : malheureusement la chaleur ne lui coupait jamais l'appétit.

Il s'éloigna un peu pour ramasser quelques tiges et un peu d'herbes sèches, y ajouta les bouses séchées qu'il trouva alentour, et, disposant adroitement le tout sur le sol, il alluma un petit feu. La fumée monta, puis quelques flammes. Khay choisit alors autour de lui les papyrus les plus tendres, en ôta l'écorce et entreprit d'en faire griller la moelle sous la cendre. Le chacal respirait toujours, mais ne bougeait pas.

Sur le Nil, les bateaux passaient lentement. Ils avaient abaissé leur voile, qu'aucun vent ne voulait gonfler, et les pilotes sondaient de leur longue perche le lit du fleuve.

C'est alors que Khay remarqua une barque

qui s'approchait, sans doute attirée par la fumée de son feu. Il y avait trois pêcheurs à bord. Au moment même où ils allaient accoster, le pêcheur de l'arrière releva énergiquement sa ligne pour remonter un poisson, qu'il assomma tout aussitôt de son gourdin.

« Oh ! garçon ! cria l'un des hommes. Qu'est-ce que tu as dans ta barque ?

— Ce n'est pas une barque, dit Khay méfiant.

— Si ce n'en est pas une, ça y ressemble fort. Pourquoi est-ce qu'elle est couverte ?

— Montre ce qu'il y a dedans. »

Khay réfléchit un instant, et il demanda :

« Qu'est-ce que vous me donnez, pour voir ? »

L'homme regarda Khay avec un air soupçonneux :

« Tu as le sens du commerce, toi, mais tu n'auras rien. Garde donc tes secrets. »

Et il repoussa le bateau vers le fleuve.

« Vous avez tort ! s'écria alors Khay. Vous n'avez jamais rien vu de pareil. »

Les trois hommes se consultèrent du regard.

« Dis-nous ce que c'est, décidèrent-ils, et nous aviserons.

— Il ne s'agit pas d'une vraie barque, répondit Khay, mais plutôt d'une barque funéraire. Elle renferme la momie d'un personnage très ancien et très important. Donnez-moi le poisson que vous venez de pêcher, et je vous la laisse voir. »

Les trois hommes se montrèrent hésitants, réfléchirent... S'ils renonçaient, il leur resterait toujours un regret, et après tout, des poissons, il y en avait beaucoup... Le marché fut conclu.

Alors, pour la première fois, Khay ouvrit le couvercle en grand, et le soleil éclaira la momie. Les trois hommes eurent comme un mouvement de recul. Un long moment, ils demeurèrent immobiles ; enfin ils s'éloignèrent sans avoir prononcé une parole.

Khay replaça le couvercle et demeura songeur. Le spectacle semblait faire de l'effet... Il contempla son poisson, puis la momie, et se dit qu'il avait finalement bien fait de la prendre. Montreur d'une momie ancienne, voilà un métier peu fatigant. Il suffirait de marcher.

... Marcher.

À cette pensée, Khay ramassa les morceaux d'écorce de papyrus qu'il avait laissés tomber à terre, et entreprit de s'en tresser des sandales. Ainsi, le monde était à lui.

Voilà comment, accompagné d'un chacal qui le suivait comme son ombre, et tirant derrière lui un sarcophage de papyrus, Khay commença d'arpenter le monde.

Bien sûr, son monde se limitait aux rives du fleuve, mais le Nil était si long, si long, que jamais personne n'en avait vu la source. La source, elle se trouvait hors de portée de l'homme, entre les mains de ce bon génie qui arrosait l'Égypte de ses bienfaits.

Partout où il passait, Khay rencontrait curiosité et méfiance. La curiosité l'emportait toujours. Même avec un peu de crainte, on voulait voir le visage d'un homme qui avait vécu dans le monde d'autrefois, et non seulement le garçon mangeait à sa faim, mais il envisageait même de s'enrichir.

Et pourtant, à chaque fois qu'il soulevait le couvercle d'osier, il se sentait pris d'un petit frisson, comme si la momie risquait soudain d'ouvrir les yeux et de le regarder en face.

Le soir, il en parlait au chacal, mais le chacal

ne répondait rien, se contentant de le considérer de ses yeux tristes et affectueux.

Décidément, sa vie avait bien changé, depuis qu'il avait pénétré dans le tombeau souterrain : d'abord, il avait trouvé un métier tranquille, et ensuite un compagnon. Car ce chacal, qui n'avait au reste jamais montré aucune peur des hommes, semblait avoir toute confiance en lui. Il s'était laissé soigner sans impatience ni crainte, et maintenant, la blessure qu'il portait sur le côté de la tête était complètement cicatrisée.

Khay lui adressait souvent la parole comme à un ami, sans même songer qu'il n'était pas humain. Parfois même, quand il ne savait où diriger ses pas, il lui demandait conseil. Le chacal tournait alors la tête de tous côtés, humait l'air, et indiquait d'un mouvement de museau la direction qui lui paraissait la meilleure pour leurs affaires. Cela suffisait au bonheur de Khay : il n'était pas seul. Par moments, il lui arrivait d'avoir l'impression que le chacal lui parlait. Il était alors obligé de réfléchir pour constater que c'était faux... mais quelle importance ! Ils se comprenaient, peut-être mieux que ceux qui échangent des mots.

Or, un soir, alors que la lune était pleine, voilà que le chacal disparut sans rien dire. Inquiet et peiné, Khay l'attendit toute la nuit, et comme le dieu-soleil montait dans le ciel, il se dit que son ami en avait eu assez de cette existence, et qu'il ne reviendrait plus. Le chagrin lui étreignit le cœur. Sa vie lui parut soudain vide et sans but. Il avait beau se raisonner, se dire que le chacal était libre et qu'il ne fallait pas que l'amitié soit une prison, il ne pouvait se consoler. Enfin, le garçon respira profondément, essuya ses larmes, et reprit la corde qui tirait la barque.

Le frottement rapide d'une course, derrière lui, fit bondir son cœur dans sa poitrine. Le chacal !

Son soulagement fut tel, qu'il se mit à rire.

« Je parierais bien que tu t'es trouvé une gentille femelle dans les parages, et que tu es allé lui faire ta cour ! »

Pour toute réponse, le chacal se lécha la patte, mais Khay vit bien qu'il y avait de la gaieté dans ses yeux. Il se jura de ne plus se montrer aussi sot désormais, et d'attendre le chacal si celui-ci s'absentait. Sa confiance dans l'animal en était soudain devenue absolue.

Mais sa résolution ne servit de rien, car de ce jour-là, le chacal ne s'éloigna plus jamais. Il semblait même s'être attribué tout seul un rôle indispensable : il accompagnait chaque pas de Khay, ne quittait pas un instant des yeux la barque funéraire et surveillait les spectateurs d'un œil attentif.

Enfin vint la nouvelle lune, qui les trouva près d'une oasis, loin vers le sud.

Comme d'habitude, Khay marchait sur la piste qui menait au prochain village quand il vit venir à lui un homme grand, coupeur de cuir de son métier, qui lui donna un pot de miel pour avoir le droit de se pencher plus longuement que les autres sur la momie. Il détailla le visage émacié et, contre un poisson séché, eut même l'autorisation de toucher les bandelettes du bout de son doigt calleux. Puis il se releva et demanda :

« Que dit ce papyrus ? »

Khay s'étonna : il n'avait jamais osé regarder la momie assez attentivement pour s'apercevoir qu'elle portait, attaché autour du cou, un tout petit rouleau de papyrus.

« Il porte le nom du pharaon », répondit-il au hasard.

Pourquoi avait-il dit « pharaon » ? Cet homme était forcément un personnage important, mais un pharaon... !

Avant que Khay n'ait pu l'en empêcher, voilà que l'homme avait saisi le papyrus et le déroulait.

Le chacal dressa la tête.

« Ce n'est pas un nom, dit le coupeur de cuir, c'est beaucoup trop long pour être un simple nom. »

Khay se pencha sur le papyrus et fixa son attention sur les signes minuscules qui y étaient dessinés.

« Pouvez-vous lire ce qui est écrit ? » demanda-t-il.

Le coupeur de cuir éclata de rire :

« Lire ? Comment saurais-je lire ? La seule chose que je puisse te dire, c'est ceci : s'il ne s'agit pas d'un nom, il est tout de même possible que le nom figure au milieu de tous ces signes. À mon avis, ce qui est écrit là, c'est l'histoire du mort, ou bien une prière, quelque chose comme ça. »

Khay ne répondit rien. Il roula de nouveau le petit papyrus, et le rattacha à sa place au cou de la momie. Mais dans le mouvement qu'il fit, il sentit quelque chose de dur sous les bandelettes, près du cou. Les doigts tremblants, il saisit le coin de métal brillant qui dépassait et tira.

C'était une plaquette d'or, avec juste quelques signes gravés, entourés d'un cartouche.

Il la tint avec précaution dans le creux de sa main, examina soigneusement les signes, puis passa son doigt dessus, comme si cela pouvait l'aider à les comprendre.

Il demeura saisi : le chacal venait de se mettre à hurler, à hurler à la mort. Pris d'un sentiment de terreur subite, Khay voulut remettre l'objet en place, mais le coupeur de cuir ne se laissait pas impressionner si vite : il le lui ôta des mains pour regarder à son tour.

Alors, devant les yeux effarés du garçon, le

chacal bondit sur la plaquette d'or, la saisit entre ses dents, et la mâcha violemment.

Tout décontenancé, le coupeur de cuir considéra l'animal, auquel Khay intimait vainement l'ordre de rendre tout de suite l'objet et qui, pour toute réponse, ne faisait que reculer, mordant toujours la plaquette avec une sorte de rage. Khay dut finalement presque se battre avec lui pour en avoir raison.

Quand le garçon réussit enfin à récupérer la plaque d'or, le mal était fait :

« C'est malin, dit-il au chacal d'une voix un peu fâchée, tu as tout abîmé... »

L'animal s'aplatit, la tête entre les pattes, et ne dit plus rien, mais Khay aurait juré que, dans ses yeux, il n'y avait aucun sentiment de culpabilité.

« À cet endroit-là, remarqua le coupeur de cuir en se penchant de nouveau sur l'objet, c'était sûrement le nom de ton pharaon qui était écrit. Bien sûr, maintenant que le chacal y a mis les dents, on ne voit plus grand-chose... »

Ils considérèrent tous deux, durant un long moment, ce qui restait des signes. On voyait une sorte d'oiseau, un ibis sans doute, représenté ainsi :

le reste disparaissait sous les traces de dents.

« Si tu veux un conseil, dit l'homme, vends cet objet. Il est très ancien, et c'est de l'or, tu en tireras un bon prix. »

Et, saluant la momie en s'inclinant très bas, il s'éloigna sur le chemin.

Khay demeura immobile, contemplant la plaquette et son oiseau dessiné, puis il la glissa doucement à la place exacte où il l'avait trouvée... Il retira sa main comme s'il s'était brûlé.

Mais non, était-il sot ! La momie n'avait pas bougé. Une momie ne PEUT PAS bouger.

Il allait reprendre la piste, lorsqu'il aperçut, venant vers lui, un homme qui titubait. Il observa avec inquiétude ses gestes incohérents, jusqu'à ce qu'il le voie tomber soudain. Laissant là sa momie, Khay s'approcha, se pencha sur lui. La stupéfaction se peignit sur son visage : il connaissait cet homme, c'était un des pilleurs de tombes qu'il avait suivis... Et cet homme était mort.

3

Le hiéroglyphe

Khay était heureux. Sa nouvelle vie lui plaisait. Pourtant, le soir, quand il s'asseyait près de son feu, il sentait l'inquiétude s'insinuer dans son cœur. Il pensait que c'était simplement la crainte des esprits de la nuit qui l'impressionnaient, et se serrait tout contre le chacal pour dormir.

Il descendit si loin vers le sud qu'un jour, il vit sur le chemin la pierre qui marquait la limite de l'empire d'Égypte. Il s'arrêta devant, et observa tous ces signes inscrits sur la borne frontière. Une nouvelle fois, il se prit à regretter vraiment de ne pas savoir lire, sûr que son ignorance lui faisait manquer une part importante de ce qui faisait la vie.

Il hésita un moment. Que faire, maintenant ? Continuer ?

Oui, il continuerait sa route au-delà de la frontière. Il reprit la corde dans sa main.

C'est alors que le chacal se mit à gémir.

« Viens donc, le persuada Khay, il n'y a rien à craindre le long du fleuve. »

Mais le chacal jappait plaintivement, sans faire un mouvement.

« Où faut-il aller, alors ? » demanda le garçon avec un peu de mauvaise humeur.

Le chacal tourna la tête vers l'ouest.

« Le désert ? s'inquiéta Khay. Tu n'y penses pas, c'est le royaume du dieu Seth, qui n'aime pas les hommes. Il les chasse en abattant sur eux de terribles tempêtes de sable, en dissimulant l'eau à leur bouche assoiffée, en leur envoyant des animaux terrifiants. Il vaut mieux continuer le long du fleuve. »

Le chacal poussa un hurlement déchirant et se coucha au pied de la borne de l'Empire, sans cesser de fixer des yeux la barque de papyrus.

Pour la première fois, Khay eut alors l'impression que le chacal s'était fait le gardien de la momie, et que la momie ne devait pas quitter l'empire d'Égypte.

Il réfléchit : s'il revenait sur ses pas le long du fleuve, il repasserait aux mêmes endroits, et rencontrerait donc les mêmes personnes. Ce n'était pas bon pour son commerce. Finalement, le chacal avait raison : il valait mieux s'engager dans le désert de l'Ouest, au moins un peu, avant de commencer à remonter vers le nord.

Khay considéra avec appréhension l'étendue jaune et sèche. Il s'inclina vers le sol, en demandant au dieu Osiris sa protection contre leur ennemi commun, le dieu Seth. Puis il reprit son précieux chargement, et s'enfonça dans le désert.

L'avis du chacal s'était révélé judicieux : le désert était très peu peuplé, mais dans les quelques oasis qui le rafraîchissaient, les habitants se montraient plus curieux que partout ailleurs, tant les distractions leur étaient rares. Ils avaient peu de biens, mais nourrissaient le voyageur. De ce fait, Khay ne manqua jamais de rien. Il obtint même un grand morceau de tissu blanc pour se protéger de la chaleur accablante que savait prodiguer Râ quand il passait au plus haut, et d'épaisses sandales de cuir qui lui gardaient les pieds des brûlures du sable. Un habile artisan lui fit, par surcroît, cadeau d'une statuette du dieu-faucon, Horus, le seul qui puisse lutter vraiment contre les fureurs de Seth, gardien du désert.

Ainsi protégé de toutes parts, Khay allait son chemin.

Or un matin, le dieu-soleil était à peine levé qu'il croisa une caravane de mulets, qui venait du nord. Le conducteur de la caravane l'arrêta d'un geste :

« Hé ! garçon ! Connais-tu cet homme ? » Et il souleva la tête d'un mort qu'il portait en travers de sa selle.

Khay sentit son cœur frémir : c'était un autre des pilleurs...

« Je ne le connais pas, dit-il d'une voix assu-

rée, de peur d'être mêlé à une affaire douteuse. Qu'a-t-il fait ?

— Qu'a-t-il fait ? répéta l'homme en écho... je n'en sais rien. Ce n'est pas nous qui l'avons tué. On l'a juste trouvé là, près de la piste. On le ramène à l'oasis, parce qu'on pense qu'il y habitait... Mais si tu dis que tu ne le connais pas...

— Moi, je ne suis pas d'ici, précisa Khay, je ne sais rien.

— Ah bon ! dit le chef de la caravane d'un ton dépité. Dans ce cas, allons voir à l'oasis. »

Et il s'éloigna, suivi de la longue file d'hommes et de mulets chargés de gros ballots.

Un court instant, par réflexe, Khay pensa qu'il ne pouvait pas laisser partir un tel nombre de clients possibles, mais ce qu'il venait de voir l'inquiétait trop. Il préférait quitter ces lieux au plus vite. Il renonça à s'arrêter au même village que la caravane.

Oh non ! se disait-il chemin faisant, ce pilleur n'était pas de cette oasis, il n'était même pas du tout de la région... Pour quelle raison cet homme pouvait-il se trouver dans le désert, si loin de chez lui ?

Déjà, quand il avait vu mourir le premier, quelques jours plus tôt, Khay s'était vaguement interrogé à ce sujet : un pilleur de tombeaux se tient dans la zone des tombeaux, c'est logique. Il y a ses amis, ses habitudes, ses revendeurs, tout son circuit commercial. Que faisaient par ici ces deux hommes ?

Il songea vaguement que le dieu Seth les avait peut-être attirés dans son royaume en leur promettant de l'or – on disait qu'il y en avait beaucoup dans le pays de Nubie –, mais ces hommes n'étaient pas des prospecteurs de mines d'or, juste de petits voleurs.

Vraiment, c'était curieux. Il revit dans sa tête ce fameux soir de pleine lune, où il avait suivi les pilleurs de tombeaux. Ils étaient quatre, plus lui. Deux étaient morts. Morts ici, loin de tout... Morts de quoi ? Il regretta de n'avoir pas posé la question.

Ce jour-là, Khay ne fit pas grand chemin. D'ailleurs, tout comme les caravanes, il ne marchait jamais au grand soleil, et s'arrêtait dès que la chaleur se faisait insupportable, pour s'allonger à l'ombre d'un buisson sec, sur lequel il déployait son grand drap blanc. Ensuite, il posait bien en évidence sa statuette du dieu-faucon Horus, et s'endormait en paix sous sa protection.

Ce jour-là donc, avant même que le dieu-soleil n'étouffe le désert, Khay arriva à une grande oasis pleine de fraîcheur. Il se glissa entre les palmiers jusqu'à la nappe d'eau qui luisait doucement dans la lumière du matin, et se pencha pour y boire. Le chacal fit de même.

Quand ils relevèrent la tête tous les deux, ils virent, de l'autre côté de l'eau, un homme qui les regardait, Khay salua.

L'homme portait une planche de bois sur ses genoux et tenait à la main un calame, ce petit roseau avec lequel on écrit.

Un scribe ! Khay se trouva tout ému de voir devant lui un homme si savant.

« Vous écrivez ? demanda-t-il en s'approchant.

— Je consigne chaque matin l'histoire de l'oasis.

— Il se passe donc des événements si importants chaque jour ?

— Pas forcément, mais aujourd'hui, oui :

nous avons trouvé deux hommes, morts, un de chaque côté de l'oasis.

— Des hommes d'ici ?

— Non, pas du tout. Des inconnus. Personne ne sait d'où ils venaient.

— Morts de quoi ?

— On l'ignore. Sans blessure apparente. Peut-être empoisonnés. »

Khay demeura silencieux. Les mots se glissaient dans son esprit comme autant de lames effilées. Il ne demanda pas qui étaient ces hommes, il avait du mal à respirer.

Il s'éloigna un peu pour rejoindre le chacal.

« Deux autres hommes sont morts », murmura-t-il.

Mais le chacal semblait s'en moquer et ne faire aucun rapprochement entre tous ces événements. Bien sûr, le chacal ne pouvait pas être au courant du pillage du tombeau, et lui n'avait aucune envie de le raconter. Il ne se sentait pas tellement fier de cet épisode, et maintenant, cela lui faisait même peur. Ils étaient cinq, cette nuit-là. Il ne restait plus que lui. Que lui.

« Qu'est-ce que tu transportes ? » interrogea le scribe en s'approchant.

Khay répondit qu'il s'agissait d'une momie des temps anciens, mots qu'il récitait toujours sans savoir de quels temps il parlait, et ajouta que c'était celle d'un homme très important, très riche, et que cela portait donc chance de la regarder. Vrai ou pas, il était toujours bon de tenter le client.

Le scribe s'intéressa à la chose et, comme le coupeur de cuir, paya plus pour voir mieux. Comme le coupeur de cuir, il déroula le petit papyrus, et lut silencieusement ce qu'il contenait.

« Que dit-il ? s'inquiéta Khay, en comprenant soudain qu'un scribe pouvait déchiffrer cette écriture.

— Ce sont des formules magiques, pour la protection du pharaon, dit le scribe en remettant le rouleau à sa place.

— C'est... c'est un pharaon ?

— Évidemment. Tu ne le savais pas ?

— Co... Comment s'appelle-t-il ?

— Ah ! cela, ce n'est pas écrit.

— Et là..., demanda Khay, le cœur battant, en sortant la plaquette d'or de ses bandages.

— Là... c'est très abîmé... Mais entouré d'un

cartouche, c'est très certainement le nom de ton pharaon... Voyons, je peux juste lire le premier signe : Thout... »

Il scruta les hiéroglyphes mordillés, puis, avec un geste de regret, finit :

« Je ne peux pas lire la suite. La seule chose que je puisse te dire, c'est que son nom commence par Thout. »

Khay considéra le visage de la momie avec inquiétude. Il lui semblait qu'elle avait presque souri, ce qui était de toute évidence ridicule. Il voulut le dire au chacal, et c'est alors seulement qu'il remarqua que celui-ci s'était éloigné, et qu'il se tenait assis, droit et immobile, à quelques pas. Ses pattes tremblaient nerveusement et ses yeux restaient fixés sur la barque.

« Je te conseillerais, reprit l'homme, de ne pas trop raconter qu'il s'agit d'un pharaon. Même plus ancien que la mémoire des hommes, il reste sacré. Si cela venait aux oreilles de notre pharaon... »

Khay murmura qu'il n'en dirait rien, mais cette nouvelle le fit frissonner.

Il ramena sa barque dans un coin isolé et contempla la plaquette :

« Thout... Thout... », murmura-t-il en caressant le dessin en forme d'ibis.

La chaleur, qui commençait à faire vibrer l'air, lui donna l'impression que la barque avait oscillé, ce qui le mit mal à l'aise. Il remit rapidement la plaquette à sa place et referma la barque. Il ne voulait plus voir cette peau parcheminée et ces yeux clos qui pourtant, malgré ses craintes, ne s'étaient jamais ouverts.

D'une main décidée, il traîna la barque jusqu'à l'autre bout de l'oasis, sans plus l'ouvrir pour personne. Il ignorait pourquoi – l'attitude du chacal peut-être ? – il ne voulait plus rien montrer aujourd'hui. Il s'installa donc loin de tous, à la limite du désert, en se jurant bien de ne pas soulever le couvercle.

Pourtant, il se sentait comme attiré sans cesse par le visage rigide, surtout depuis qu'il savait son nom, car c'était alors comme s'il avait vraiment fait sa connaissance.

Cette pensée tournait dans sa tête, tant et tant que finalement, il n'y put tenir, et fit glisser un peu le couvercle de côté. Une fois. Deux fois. La tentation se faisait toujours plus forte, et à peine avait-il refermé qu'il voulait voir encore.

Le visage lui paraissait maintenant presque vivant, mais c'était sans doute parce qu'il lui devenait à chaque fois plus familier.

En tout cas, il n'y avait aucun motif pour se tourmenter : l'homme, là, dormait pour l'éternité.

Khay soupira et, sentant la faim se glisser avec des grognements sourds jusqu'au creux toujours désespérément vide de son estomac, il poussa de nouveau l'audace jusqu'à ouvrir complètement la barque et appela les voisins au spectacle.

Le soir venu, avant de poser le couvercle sur le sarcophage de roseaux, il tira une dernière fois légèrement sur la plaquette d'or, et lut à voix basse en regardant l'oiseau gravé :

« Thout... »

Le chacal poussa un gémissement. Khay lui lança un regard interrogatif, puis relogea avec délicatesse la plaquette à sa place, et referma le sarcophage.

Dans la nuit, le vent se leva. Réveillé en sursaut, Khay se redressa. Il lui semblait avoir entendu le nom de Thout... quelqu'un avait dit Thout... Il regarda le chacal, mais un chacal ne parle pas. D'ailleurs, l'animal ouvrait lui aussi de grands yeux apeurés. Et voilà que le vent se mit à souffler en tempête. Thout. Thout. Une tempête comme jamais Khay n'en avait connu. Il prit le chacal contre lui et s'enroula bien serré dans son drap pour se protéger du sable qui volait et lui entrait par la bouche et le nez, comme s'il cherchait à l'étouffer. Il se bouchait les oreilles violemment, mais il entendait toujours dans sa tête le hurlement du vent, Thout... Contre lui, le chacal tremblait.

Au matin, le vent s'était calmé. Khay se dégagea lentement. Il avait terriblement mal à la tête et se sentait tout endolori.

Il se releva avec peine et la première chose qu'il vit était que le sarcophage de papyrus n'avait plus son couvercle. Il aurait dû y penser, et l'arrimer fermement. Il fallait voir si la momie n'avait pas trop souffert...

Khay en perdit le souffle de saisissement. Le sarcophage était vide. Vide ! On lui avait dérobé sa momie !

Il faillit crier au voleur... Sa voix s'enraya dans sa gorge. Si la momie n'était plus là, les bandelettes, elles, y étaient toujours, comme un tas de chiffon sur le fond de la barque. Et sur ce tas, le petit rouleau de papyrus, et la plaquette d'or.

Khay porta la main à sa poitrine. Il se sentait mal. Un voleur... qui emporterait une momie en lui enlevant ses bandelettes, et qui laisserait la plaque d'or...

Effaré, il se tourna vers le chacal. L'animal demeurait immobile, allongé sur le sable, la tête posée entre les pattes. Khay ne lui dit rien : il était sûr qu'il savait déjà.

« Partons ! souffla-t-il. Partons vite ! »

Et il poussa le chacal devant lui.

Mais l'animal paraissait plus que réticent, il avançait à regret, regardant sans cesse en arrière. Enfin, il s'arrêta, et d'un mouvement décidé, revint sur ses pas.

Sous le regard effrayé de Khay, le chacal plongea dans la barque et en ressortit le tas de bandelettes. Puis il creusa vivement le sable de ses pattes, et y enterra le tout.

Quand ce fut fini, il revint en courant vers Khay, et l'entraîna vers le nord.

4

Pharaon

Khay traversa une période terrible. Il avait perdu son métier et se sentait sans cesse tiraillé entre l'envie et la terreur de retrouver un jour la momie. Car il n'arrivait pas à comprendre sa disparition. Il soupçonnait Seth, le gardien du désert, de l'avoir enlevée lors de la tempête qui s'était déchaînée cette nuit-là, et en même temps, il ne parvenait pas à effacer de son esprit les quatre morts. Le fil de sa vie lui parut soudain mince et fragile.

Alors, il décida de fuir le désert pour regagner le domaine du grand fleuve.

Mais Khay ne pouvait trouver la paix, il ne pouvait oublier que depuis cette nuit de terrible tempête, il avait entendu à plusieurs reprises une voix dans sa tête, une voix qui disait...

Non, il ne pouvait pas répéter ce que disait cette voix. Pour ne plus l'entendre, il parlait au chacal.

Par mille détours, ils étaient revenus au bord du Nil. Les eaux du grand fleuve, qui avaient envahi ses rives au temps de la crue, venaient de se retirer, laissant derrière elles un limon fertile qu'on devait tout aussitôt ensemencer.

Pourtant, sur la vaste étendue qui séchait au soleil, pas un homme. Khay en fut étonné.

Il s'arrêta aux premières maisons de boue séchée du village et appela. Personne. Tout était-il donc désert ?

Soudain, il entendit des lamentations. Se laissant guider par elles, il parvint à un petit temple dédié à la déesse-hippopotame, où des femmes rassemblées pleuraient.

Khay patienta un moment, puis, les plaintes ne semblant pas s'atténuer, il s'inquiéta auprès d'un jeune garçon qui paraissait attendre, comme lui.

« Que se passe-t-il ? demanda-t-il à voix basse.

— Les femmes prient pour le retour des hommes. La terre est en train de sécher au soleil, bientôt elle sera trop dure pour qu'on puisse la travailler. Les femmes supplient la déesse protectrice de leur ramener les hommes, sinon il n'y aura pas de récoltes cette année.

— Où sont-ils partis ?

— Personne ne le sait. Un homme grand est venu. Il s'est arrêté au bord du fleuve et les a regardés. Et puis il leur a fait signe de le suivre. Alors, les hommes ont laissé là leurs outils et sont partis derrière lui, en emportant leurs armes.

— Qu'est-ce que cet homme leur a dit ? s'étonna Khay.

— Rien ! s'exclama le garçon avec véhémence. Il ne leur a RIEN dit. Il a juste fait signe du regard. »

Le garçon eut un geste d'agacement et d'impuissance. Puis, laissant là Khay, pour la centième fois, il escalada un palmier, et de là-haut, scruta l'horizon.

Personne.

Les lamentations continuaient.

« Il faut que les hommes reviennent ! » grogna le garçon en contemplant la vaste étendue de terre qui durcissait peu à peu.

Khay suivit son regard. Ainsi, un homme était venu, et il n'avait rien dit... Qu'y avait-il à comprendre à cela ?

« Avez-vous un troupeau de porcs ? » s'informa-t-il.

Il s'arrêta net. Lui qui n'aimait pas se mêler des affaires des autres, voilà qu'il... Enfin, il n'était pas responsable de cette situation ! Pourquoi intervenir ?

« Nous avons des porcs », répondit le garçon un peu surpris.

Bon... Finalement, Khay avait des raisons d'aider ces gens : il allait monnayer ses renseignements, et remplir son estomac vide... Dans ses voyages au long du fleuve, il avait vu beaucoup de choses, et voilà que l'une d'entre elles allait lui servir.

« Alors, reprit-il, vous êtes sauvés. Demandez aux femmes de cesser leurs prières. »

Le garçon se précipita dans le temple, et les gémissements se turent. Les femmes sortirent. Leur visage était empreint de méfiance et d'espoir en même temps.

« La déesse-hippopotame va vous exaucer par ma voix, commença alors Khay, mais en échange, elle vous demande de me nourrir pendant trois jours. »

Perplexes, les femmes acquiescèrent lentement de la tête.

« Vous allez laisser là votre ouvrage, reprit le garçon, prendre le grain et ensemencer les terres. Comme les hommes ne sont pas là pour retourner le sol et enfouir à la charrue, vous allez simplement lâcher le troupeau de porcs sur la terre encore meuble. Les bêtes piétineront et enfonceront le grain. La récolte, sans doute, sera moins bonne, mais l'important est de se maintenir en vie. »

Un moment de silence. Puis des chuchotements. Enfin son idée, cheminant dans les esprits, eut un réel succès, qui vida aussitôt le village de ses femmes pour les éparpiller sur les bords humides du fleuve.

« Voilà comment on gagne trois jours de survie », souffla-t-il au chacal.

Son cœur était plus léger. Il regarda autour de lui, et l'endroit lui parut rassurant. Il avait envie de rester...

Le troisième jour finissant, Khay fit valoir qu'il pouvait rendre quelques services, et les femmes finalement acceptèrent qu'il s'occupe de l'élevage de grues cendrées, tandis que le chacal garderait le troupeau de buffles.

Quelques jours passèrent. Toujours pas de nouvelles des hommes.

Et voilà qu'on entendit des rumeurs étranges. On disait que Pharaon était mort, puis on disait qu'il n'était pas mort, mais seulement emprisonné. Leur pharaon, emprisonné ?

Cette révélation plongea le pays dans l'effroi. Qu'on puisse toucher à la personne du pharaon était un affreux sacrilège. Si le pharaon avait disparu, les dieux déserteraient le pays.

Mais un nouveau bruit parvint bientôt, encore plus étonnant : un autre pharaon était monté sur le trône, un pharaon que certains appelaient « le vrai pharaon ».

C'était à n'y rien comprendre. Pourquoi « vrai » pharaon ? On se posa des questions à voix basse, en chuchotant, pour que les mots ne passent pas les murs. On n'eut jamais de réponse, mais un jour...

Tout commença sans qu'on y prenne garde. On apprit seulement que le nouveau pharaon ouvrait des chantiers immenses, recrutant des ouvriers dans tous les villages. Puis on sut qu'il les faisait travailler sans les nourrir ni les payer. Comment était-ce possible ? À ce qu'il semblait, le pharaon faisait bâtir une pyramide, mais le pire était que tous ceux qui la construisaient devraient mourir, car jamais le secret du labyrinthe intérieur, ni celui de l'emplacement de la chambre mortuaire ne devraient passer leurs lèvres.

Et voilà que les collecteurs d'impôts commencèrent à sillonner le pays, à confisquer les

récoltes et les animaux. Tout appartenait au Vrai Pharaon, disaient-ils.

Enfin, un jour, les hommes du village revinrent. Ils racontèrent qu'ils étaient allés aider le Vrai Pharaon à reconquérir son trône. Qu'ils devaient se sacrifier pour lui, et cultiver leurs terres de leur mieux pour lui obéir, l'enrichir et augmenter sa puissance.

Les femmes ne comprenaient pas. Elles refusaient une telle chose. Mais les hommes ne voulaient rien savoir : ils étaient devenus comme fous, fous de leur nouveau dieu.

« Pharaon fut dépouillé par l'homme, répétaient-ils sans cesse, c'est donc à l'homme de lui restituer ses biens et sa puissance. »

Les femmes s'indignaient :

« Qu'est-ce que cela veut dire ? De quel homme parlez-vous ? »

Mais les autres ne répondaient pas. De quelle manière ce « vrai » pharaon avait été dépouillé, ils ne le dirent jamais, ils ne le savaient sans doute pas.

Alors, Khay commença à se sentir de plus en plus mal à l'aise. Quelque chose lui étreignait la poitrine sans qu'il saisisse pourquoi. Il craignait de quitter le village, et pourtant, il se sentait attiré... Là-bas, là-bas se construisait une pyramide...

De toute façon, maintenant que les hommes étaient rentrés, il n'avait plus de travail au village...

« Ne crois-tu pas que nous devrions partir ? » demanda-t-il au chacal.

Il lui sembla que l'animal se repliait un peu sur lui-même, comme lorsqu'il avait peur, mais sans faire un geste pour protester. Khay décréta alors que c'était dit, et qu'ils retourneraient chez eux.

Ils reprirent donc leur chemin, remontant le fleuve vers le nord, se nourrissant de racines, de fruits tombés, et parfois du cadavre d'un animal sauvage qui séchait au soleil.

Le temps passant, Khay vit que le monde était en train de se transformer.

Il vit les arbres dépouillés de leurs fruits, les récoltes chargées sur d'énormes bateaux s'éloigner vers le lointain palais. Tout était pour le Vrai Pharaon.

Les femmes pleuraient : elles voulaient qu'on leur laisse de quoi nourrir leurs enfants, mais les soldats du Vrai Pharaon restaient de marbre, comme si rien ne pouvait les toucher, comme s'ils n'éprouvaient aucun sentiment. D'ailleurs ils ne parlaient jamais, et c'est ce qui faisait le plus peur.

Et puis on vit les lévriers sloughis en grand nombre dévaler sur le pays, rabattant gazelles, antilopes et hyènes, que les chasseurs tuaient ensuite de leurs arcs et emportaient. Bientôt, il n'y aurait plus aucun gibier.

Khay eut alors le sentiment affreux que ce Vrai Pharaon cherchait à détruire le pays. Cette pensée se mit à le tourmenter jour et nuit, comme s'il se sentait coupable de quelque chose, sans savoir de quoi.

Un matin, lorsque Khay se réveilla, il s'aperçut avec effroi que le chacal n'était plus là. Il chercha des yeux tout autour, et appela d'une voix étranglée :

« Chacal ! Chacal ! »

À perte de vue, le sable, seulement le sable, seulement la vibration de l'air.

« Chacal ! »

La peur lui serra le cœur que l'animal n'ait été abattu. Il chercha partout, appela. Les yeux lui piquaient, ses pensées s'affolaient. Et soudain, il découvrit qu'il connaissait l'endroit où il se trouvait : déjà un jour, il s'était arrêté là. C'est dans ce même endroit que, pour la première fois, le chacal avait disparu. Alors, Khay sécha ses larmes, s'assit sur le sol et attendit.

Il attendit jusqu'au soir, et enfin, dans les dernières lueurs du jour, il aperçut le chacal qui revenait, tenant quelque chose dans sa gueule. Un moment, il crut qu'il s'agissait d'un animal qu'il avait réussi à tuer, puis il reconnut un tout jeune chacal. Il le prit dans ses mains et le serra contre sa poitrine.

« Où l'as-tu trouvé ? » demanda-t-il.

Le chacal tourna tristement la tête vers le désert. Khay eut l'impression qu'il avait envie de pleurer. Mais un chacal ne verse pas de larmes, c'est impossible.

Un bruit lui fit lever la tête. Le chacal sursauta, avant de s'aplatir sur le sol : une longue file de chasseurs venait de leur côté. Rentrant d'une expédition, ils portaient toutes sortes de grands animaux déchirés, la tête pendante.

Un long moment, le chacal ne fit pas un mouvement, se confondant avec le sable. Enfin, quand le dernier chasseur fut passé, il se redressa avec lenteur. Il ne regarda pas de leur côté ; tenant la tête baissée, il se mit à gémir doucement. Khay remarqua alors que le dernier des chasseurs portait, accrochée dans son dos, une peau jaune, dont il comprit aussitôt l'origine : c'était la peau de la femelle, celle que le chacal était allé voir une nuit, et il comprit aussi que ce jeune qu'il avait ramené était son propre fils. Il caressa le petit sans rien dire, la gorge nouée.

La faim commençait à tourmenter les hommes, mais, au grand étonnement de Khay, sans les faire ni crier ni se plaindre. Ils semblaient même heureux de sacrifier leur vie à la grandeur du prince. Pourtant, dans les villages, on n'entendait plus un rire.

Khay regardait tout cela sans comprendre, et son cœur saignait. Depuis longtemps, une question le rongeait, une question qu'il n'avait jamais osé poser. Enfin, il s'arrêta dans un village, pour parler aux hommes qui tous avaient un jour suivi l'inconnu, et demanda à quoi ressemblait ce nouveau pharaon, qui était, disaient-ils, le Vrai Pharaon.

On lui répondit que l'homme était grand et mince. Que d'un seul regard, il pouvait vous faire ramper. Que sans dire un mot, il était obéi. Que c'était un dieu sur terre, le plus grand dieu.

« Et son nom, demanda Khay avec crainte.

— Son nom ? Nul ne l'a bien compris. Le mystère doit demeurer, car Pharaon est au-delà des hommes.

— Mais encore..., insista Khay. Ne savez-vous pas à quoi ressemble ce nom ?

— Nous avons entendu Pharaon le prononcer... nous n'en avons compris que le début. Son nom, à notre avis, commence par “Thout”. Nous ne voulons pas savoir la fin, nous n'avons pas à la savoir. »

Khay sentit son sang se glacer. Il s'éloigna sans un mot.

Cette phrase, dans sa tête... Il avait cru l'entendre pendant cette terrible tempête, il l'entendait depuis, chaque nuit, mais il se bouchait les oreilles, il ne voulait pas la croire. Et pourtant... Cette phrase avait raison. Elle disait : « Tu as dit mon nom. Tu m'as donné la vie... »

Il avait fait cela, lui, Khay, il avait prononcé le nom de Pharaon, et l'avait ainsi arraché à l'éternité...

Khay s'arrêta, contempla avec désespoir le dieu-soleil qui illuminait de sa lumière cette terre de misère, puis se laissa tomber le visage contre le sable et pleura.

5

Le père de Pharaon

Survivre devenait difficile, et Khay sentait souvent la faim le dévorer. Lorsque personne ne pouvait le voir, il se glissait entre les papyrus, s'enfonçait dans le fleuve, là où poussent les lotus, et tentait d'attraper les poissons à la main. Il y parvenait quelquefois, mais c'était rare, et alors, il fallait qu'il attende la nuit pour manger sa proie, de peur de se voir accuser de voler les poissons de Pharaon.

Parfois, dissimulé au milieu des nénuphars, il demeurait des heures sans bouger, surveillant le ciel, tenant prêt le boomerang qu'il s'était fabriqué, et guettant un passage de canards. Mais cette chasse était très dangereuse, car à tout moment, quelqu'un pouvait voir le canard tomber.

Voilà que ce qui était autrefois à tous devenait la propriété d'un seul. Ainsi le malheur s'abat sur un pays.

Seuls les pêcheurs avaient droit à conserver un peu de poisson, seuls les chasseurs pouvaient garder une pièce de gibier. Khay, lui, n'avait droit à rien, car il n'était rien.

Il médita sur le métier qu'il avait toujours voulu faire, celui de pilleur de tombes ; plus jamais de sa vie il ne pourrait s'y résoudre. Rien que d'y penser, il en tremblait.

Il songea encore que tout était sa faute, mais quand il en parlait au chacal, celui-ci ne répondait jamais. Tout était sa faute. Il ne faut pas aller contre la marche du monde. Il ne faut pas déranger les morts. Il se maudissait d'avoir un jour sorti la momie de son tombeau, il se maudissait d'avoir voulu lire son nom sur la plaquette.

« Thout... » Cela suffisait-il ? Juste une bribe de nom. Il n'en avait même pas déchiffré la fin, il n'avait pas pu, à cause du chacal qui... Khay demeura interloqué. À cause du chacal...

Il lança à l'animal un regard troublé. Mais celui-ci léchait tranquillement son petit.

Khay soupira. Tout s'embrouillait. La faim lui perturbait l'esprit. Tout de même, dans son malheur, il était heureux d'avoir deux amis auprès de lui. Il les contempla un moment.

Le petit grandissait bien. Quel dieu avait, dans sa grande sagesse, décrété que le chacal se nourrirait de ce que nul ne mangeait ? Les deux animaux ne manquaient de rien car les chasseurs laissaient toujours derrière eux quelque dépouille infâme d'animaux malades, ou de hyènes qu'ils tuaient seulement pour le plaisir, et cela suffisait à leur appétit.

Au fil du temps, le petit s'était pris lui aussi d'amitié profonde pour Khay, qui le lui rendait bien. Les voyageurs qui les croisaient se rappelaient longtemps ce cortège curieux d'un jeune garçon, aux portes du désert, escorté de deux chacals qui ne le quittaient jamais.

Tout en remâchant ses remords, Khay remontait toujours vers le nord. Il ne pouvait se détacher de l'impression affreuse d'aller au-devant de la mort, et pourtant il marchait.

Un jour qu'il s'abritait du soleil sous un maigre buisson, il aperçut les chasseurs du palais, qui revenaient d'une chasse à l'autruche. Instinctivement, il serra les chacals contre lui, s'allongea vivement sur le sol et, en quelques mouvements, se recouvrit de sable. Les chasseurs passèrent sans le voir.

Khay poussa un soupir de soulagement. Sans faire un geste, il regarda s'éloigner les serviteurs qui fermaient la marche, portant les dépouilles des grands oiseaux, dont le pharaon voulait prendre les plumes, et une idée germa dans son esprit.

« Ce n'est pas encore aujourd'hui que je mourrai », souffla-t-il aux chacals. Et, les entraînant avec lui, il s'enfonça un peu plus dans le désert, pour retrouver la piste des oiseaux morts.

Suivant la trace de leurs pas, il réussit à détecter facilement l'endroit où ils avaient piétiné le sable, donc où ils avaient enterré leurs œufs.

Alors, il creusa le sable, en sortit un, le cassa sur une pierre brûlante pour le cuire, et il le mangea, avec le sentiment délicieux d'avoir gagné un jour, d'avoir fait une grimace à la mort. Il arrivait encore à braver le pharaon, à survivre. On ne l'aurait pas ainsi !

Deux jours, trois jours, et puis le vent se leva, balayant toute trace des grands oiseaux, et il ne trouva plus rien.

Il continua donc sa route, toujours vers le nord. La faim recommençait à le torturer et affaiblissait son corps brûlé de soleil. Il allait sans cesse. Il allait vers Pharaon, il allait vers sa mort, mais il était si fatigué que cela ne lui faisait même plus peur.

Il arriva ainsi à une grande oasis, où l'on était en train de faire la cueillette des figues. Comme souvent, ce n'étaient pas les hommes qui cueillaient, mais les singes, et les hommes ramassaient ce que les animaux dressés lançaient. Discrètement, Khay se mêla aux ramasseurs, et fit signe à un singe de lui envoyer quelque chose. Il reçut aussitôt une figue, qu'il glissa promptement dans la gueule du chacal.

« Qui es-tu ? hurla un homme. Tu as volé une figue de Pharaon.

— Je n'ai rien volé ! protesta Khay.

— Nous t'avons vu, la figue est dans ta main. »

Khay ouvrit ses mains, il n'y avait rien.

« Tu l'as mangée ! »

Khay ouvrit la bouche : pas la moindre odeur de figue. On le fouilla entièrement, sans rien trouver et, en rageant, on dut le laisser s'éloigner.

Quand il fut hors de vue, Khay récupéra en riant sa figue dans la gueule du chacal et s'assit au bord de l'eau pour la manger.

À peine avait-il mordu dedans, que ses yeux s'ouvrirent d'effroi ; un énorme crocodile le fixait de ses yeux mauvais. Khay arrêta son mouvement, les chacals reculèrent. Khay vit alors que la bête portait un collier au cou, et des bracelets d'or aux pattes. Il comprit qu'il s'agissait là du crocodile sacré de l'oasis. La colère au cœur, il ne put faire autrement que de lui donner sa figue.

Les dieux étaient-ils donc tous ligués contre lui ?

« Je suis encore en vie », grinça-t-il entre ses dents.

Cela n'arriva pas à le rassurer. Il repartit lentement. Son pas s'était fait traînant.

Rien n'allait. La famine s'installait et les hommes étaient devenus mauvais. On mangeait en cachette quelques herbes, on rampait à la recherche de grains oubliés. Pour un fruit à demi pourri, on était capable de se battre jusqu'au sang, jusqu'à la mort. On se surveillait les uns les autres, la pitié n'existait plus. Il fallait faire quelque chose, mais quoi ?

Comme Khay remâchait ces tristes réalités, il vit venir à lui une longue colonne de guerriers et de serviteurs, et il se sut perdu. S'enfuir ne servirait à rien, on le retrouverait toujours, les espions étaient partout, car tous étaient espions. Il vit sa mort approcher, la vengeance de Pharaon. Il s'accroupit, prit la tête d'un chacal sous chaque bras, et baissa le front.

Mais les serviteurs s'agenouillèrent devant lui.

Un homme au large collier d'or s'aplatit à ses genoux en disant :

« Père de notre pharaon, nous t'avons enfin trouvé. »

Et les serviteurs répétèrent :

« Père de notre pharaon, nous t'avons enfin trouvé. »

Khay en demeura suffoqué, il ne pouvait prononcer une parole. L'homme au collier d'or reprit :

« Voici le message de Pharaon : "Tu as dit mon nom. Tu m'as donné la vie. À toi je dois tout, tu es mon père." »

Et sous les yeux médusés de Khay, les serviteurs déposèrent un à un les présents qu'ils portaient, bijoux, perles, plumes rares... et une figue.

Ils repartirent comme ils étaient venus, laissant Khay plus terrorisé qu'heureux.

Il demeura là, à contempler la figue, sans arriver à mettre de l'ordre dans ses pensées. L'animal sacré lui avait pris sa figue, et Pharaon lui en faisait apporter une autre. Il ne pouvait croire qu'il ne s'agît là que d'un hasard. Il se sentit soudain sous l'œil de Pharaon. Cette figue, à ses pieds, lui était comme une menace. Malgré la faim qui le dévorait, il n'y toucha pas.

Il resta là, avec l'impression pénible que nulle part il n'y avait d'abri pour lui. Quand ses yeux tombaient sur les richesses étalées devant lui, il ne ressentait que de la crainte, et s'il levait son regard angoissé vers le chacal, il rencontrait dans les yeux sombres la même inquiétude.

La peur. La honte. La honte pire que la peur...

« Que dois-je faire ? demanda Khay. Cette récompense est celle de mon méfait. J'ai apporté la mort au pays. Comment cela pourrait-il me donner, à moi, chance et richesse ? »

Alors le chacal, du bout du museau, indiqua le nord-est.

Ils enterrèrent tout le trésor sous le sable, et s'éloignèrent dans cette direction.

Jour et nuit ils marchèrent, jusqu'à ce qu'un matin le chacal fît signe qu'ils étaient arrivés. Khay ne reconnaissait pas l'endroit. Et pourtant... et pourtant, quelque chose lui disait...

Une énorme pyramide s'élevait. Une pyramide qu'il n'avait jamais vue. C'était évidemment celle du nouveau pharaon. Des ouvriers

exténués traînaient, attachés à des cordes, d'énormes blocs de pierre, d'autres les déchargeaient des bateaux immenses qui descendaient le fleuve. Leurs mains saignaient. Tous ces hommes, tous ces hommes qui construisaient la pyramide allaient mourir.

Et ils allaient mourir à cause de lui, Khay, car à cause de lui, Pharaon voulait que son tombeau soit inviolable, que le labyrinthe conserve à jamais son secret.

Le chacal semblait préoccupé. Il regardait tout autour de lui, puis il levait la tête vers Khay, comme pour lui dire quelque chose. Il renouvela son manège plusieurs fois, jusqu'à attirer l'attention du garçon. Alors, à son tour, Khay s'appliqua à observer les environs, et enfin il sut ; il sut que la pyramide était construite sur l'ancien tombeau, celui dans lequel il avait pénétré, la fameuse tombe du pharaon...

Il se cacha le visage dans les mains.

« C'est notre faute, dit-il. Les hommes qui ont dépouillé Pharaon, c'est nous. »

Le chacal secoua la tête.

« Tu as raison, dit Khay, ce n'est pas vraiment

moi. Je n'ai rien volé des richesses, mais seulement parce que je n'ai pas pu. Ceux qui ont tout pris, ils sont... »

Il réfléchit, le front soucieux :

« Ils sont morts, finit-il, ils sont morts. »

La vie lui parut soudain absurde. Lui était vivant, par le plus pur des hasards, par une grande injustice. N'était-ce pas à lui, que le sort avait épargné, de tenter de réparer... ?

Il contempla avec désarroi la longue file des hommes qui peinaient, et tomba à genoux :

« Il faut faire quelque chose, chacal, aide-moi. Il faut faire quelque chose. »

Le chacal ne répondit pas, mais il se leva et marcha vers le fleuve.

À l'endroit où il s'arrêta, Khay découvrit entre les arbres un petit temple dédié au dieu Apis.

Sans hésiter, il y pénétra.

La statue du dieu-taureau semblait le regarder tristement.

Khay prit un peu d'encens, pour le faire brûler sur l'autel, et alluma les lampes à huile. Il n'avait malheureusement aucune offrande à glisser à la droite du dieu, mais il comptait que le dieu comprendrait la dureté des temps. Il se pencha vers lui et lui posa sa question en chuchotant. Puis il sortit très vite en se bouchant les oreilles, ainsi que le voulait la coutume.

Quand il fut dehors, il ôta ses mains de ses oreilles et écouta. Hélas ! pas un mot ne lui parvenait. Il n'y avait aucun bruit. À dire vrai, c'était prévisible, car depuis des jours, le pays tout entier avait perdu la parole, Khay sentit le désespoir l'envahir ; le premier mot qu'il aurait entendu lui aurait donné une idée du conseil du dieu Apis. Il écouta encore, mais le pays était comme mort.

Et voilà que soudain, une voix. Elle disait :

« La tombe. »

Khay regarda le chacal avec effroi. Il aurait juré que c'était lui qui avait parlé.

« La tombe ? », souffla-t-il interloqué.

Mais le chacal demeura silencieux. Il s'était immobilisé, et son regard ne quittait pas l'entrée de l'ancien tombeau.

« La tombe... » répéta Khay lentement.

Et par-delà ces mots, des images ; la chambre mortuaire, le sarcophage, les objets partout, la nourriture réduite en poussière, les vases funéraires. Des images qui s'imposaient à son esprit. Est-ce qu'elles signifiaient... ?

« Peut-être..., commença-t-il d'un ton hésitant... Peut-être qu'il faut tout rendre à la tombe... ? Oui... Il faut que tout redevienne comme avant. C'est cela, n'est-ce pas ? »

Le chacal leva sur lui des yeux attentifs.

Mais aussitôt, le doute le saisit :

« ... Est-ce qu'on peut revenir en arrière ? » soupira-t-il.

Il hocha longuement la tête.

... Revenir en arrière...

Il fallait essayer.

Au loin dans la nuit, sur la terrasse du palais, un homme. Grand. Maigre. Il tenait ses bras croisés sur sa poitrine. Sans faire un mouvement, il fixait la pyramide. Il fixait Khay. Mais ses yeux étaient vides. Il avait la vie, il n'avait plus d'âme.

6

La pyramide

« Chacal, c'est toi qui as parlé, n'est-ce pas ? »

Le chacal détourna la tête, se contentant de considérer la pyramide d'un air soucieux.

« Réponds-moi. Je croyais avoir compris, mais je ne sais plus rien. Pour la tombe, oui, je vois ce qu'il faut faire : il faut que tout redevienne comme avant. C'est cela ? »

Le chacal eut un petit mouvement de tête.

« Donc, je dois retrouver tous les objets qui

ont été volés cette nuit-là. Où sont-ils ? Ils ont dû être revendus un peu partout. »

Comme le chacal demeurait silencieux, Khay reprit :

« Je crois que le trésor que m'a donné le pharaon, je dois m'en servir pour les racheter à ceux qui les possèdent aujourd'hui. Mais c'est là que plus rien ne va : je ne saurai pas reconnaître ces objets, chacal. Je ne saurai pas : je les ai à peine vus.

— Moi, je saurai », dit le chacal.

Khay s'immobilisa. Plus rien ne devait aujourd'hui l'étonner. Il ne fit aucune remarque, parce qu'il avait confiance dans le chacal, qui avait toujours été de bon conseil. Il tenta de trouver naturel que l'animal fût doué de la parole, ou plutôt il fit comme s'il n'y prêtait pas attention.

Ce qu'il comprenait le moins, c'était comment le chacal pouvait être au courant, et connaître les objets de la tombe. Peut-être avait-il vu les pilleurs sortir les trésors du tombeau ? Peut-être même cette blessure à la tête lui avait-elle été faite par eux ?

« Allons, dit-il, il faut d'urgence nous mettre en quête des anciens biens de Pharaon. »

Des jours durant, on vit le garçon et les deux chacals sillonner le pays en tous sens, cherchant, questionnant. Quand ils avaient trouvé ce qu'ils cherchaient, leur cœur se gonflait de joie.

Le plus grand des chacals allait devant. Il humait attentivement l'air, puis se dirigeait vers une maison et désignait du bout de son museau un objet, une statuette, quelques perles, un vase, une coupe.

Khay se chargeait alors de les racheter. Personne ne résistait à sa demande, personne ne refusait de vendre. C'était « pour Pharaon », disait-il, sans préciser jamais ce qu'il voulait dire par là.

Il rassemblait le tout dans une grande barque de papyrus, la même que celle de la momie, et la tirait derrière lui.

La lune allait son chemin dans le ciel, et le temps passait. Enfin, le chacal estima que tout y était, qu'il ne manquait plus rien. Ils entreprirent alors leur dernier voyage.

Ils arrivèrent comme le soir tombait. Sur les bords du fleuve, les ouvriers s'entassaient à même le sol pour dormir. Ils étaient si fatigués qu'aucun ne prêta attention aux trois ombres qui se dirigeaient vers la pyramide, un homme et deux animaux, traînant ensemble une longue barque.

Khay reconnut tout de suite l'escalier qu'il avait descendu une nuit, même si, en ce temps-là, cet escalier s'enfonçait simplement dans le sol, sans que rien n'en indique l'emplacement.

Khay sentit ses mains trembler. Il avait une impression pénible, comme si quelqu'un le fixait d'un regard terrible, comme si quelqu'un avait fait un geste vers lui, un geste pour le retenir. Il voulut tourner la tête vers le palais, tout là-bas, mais le chacal ne lui en laissa pas le temps. Il le poussa vers l'avant, vers les galeries sombres qui couraient aujourd'hui sous la pyramide.

Retrouver le chemin ? Khay en aurait été incapable. Le morceau de son pagne, qu'il avait autrefois laissé, avait bien sûr disparu. Le chacal, lui, semblait n'avoir besoin d'aucun signe. À la lueur de la torche, il avançait sans hésitation, guidant Khay et sa barque.

À la porte du tombeau, Khay se sentit oppressé. Tout était comme lorsqu'il l'avait quitté : le sarcophage ouvert, son couvercle gisant sur le sol, les hauts murs, nus, l'armoire qui avait contenu les vases funéraires, vide.

Le cœur serré, il regarda le chacal qui s'affairait en tous sens, portant les objets un à un là où ils devaient être ; Khay aurait voulu lui demander comment il savait tout cela, mais le chacal n'aurait certainement pas répondu.

Khay se contenta donc d'attendre à l'entrée de la salle du trésor. C'est alors qu'il remarqua le socle, contre lequel il était appuyé. Un socle vide.

« Je suis sûr, chuchota-t-il, qu'il y avait quelque chose sur ce socle, mais je ne me rappelle pas quoi. »

Le chacal ne dit rien.

Tout était maintenant en place. Ils considérèrent la tombe une dernière fois et sortirent.

Dehors, tout était silencieux. Lentement, Khay leva la tête vers le sommet de la pyramide. Elle demeurait impassible et noire. Avec appréhension, il tourna lentement son regard vers le lointain palais. Il ne vit rien. Rien qu'une sorte de pierre longue et haute, qui aurait pu faire penser à une silhouette d'homme, mais qui demeurait immobile. Il frissonna.

Ils attendirent. Longtemps. Mais rien ne se passait. Qu'espéraient-ils ?

Alors le chacal gratta soudain le sable de sa patte, lança à Khay un regard plein d'espoir, et partit comme une flèche.

Savait-il ce qui manquait ?

Décontenancé, Khay attendit un moment. Déjà, le ciel s'éclaircissait. Aux premières lueurs du jour, il commença de reculer. Il ne pouvait rester là ! Ce qu'il craignait par-dessus tout, c'était de rencontrer le pharaon.

Suivi du petit chacal, il s'éloigna dans le désert.

Deux jours, Khay patienta, rongé d'inquiétude. Enfin, comme la nuit allait tomber, le chacal revint. Il semblait épuisé. Il portait entre ses dents un ballot de bandelettes, un petit rouleau de papyrus et une plaquette d'or.

Il était allé si loin... ! Il avait retrouvé l'endroit !

Ils reprirent silencieusement le chemin de la pyramide. Le chacal semblait pressé. Il fila dans les galeries, courut au sarcophage et y déposa sa charge, puis il ressortit aussi vite qu'il le put, et se laissa tomber aux pieds de Khay.

Le garçon lui caressa la tête. Sous son doigt, il sentit la cicatrice oubliée de la blessure, qui rappela à son souvenir le jour où il avait trouvé le chacal à demi noyé. Cela lui semblait si lointain...

« Il ne se passera rien, dit-il d'un air fatigué. D'ailleurs, nous n'avons pas tout restitué. »

Le chacal lui lança un regard inquiet.

« Sur le socle, reprit Khay, il y avait quelque chose... quelque chose que nous n'avons pas retrouvé... »

Le chacal baissa la tête. Un long moment, il demeura immobile et silencieux, fixant le sol. Puis il leva des yeux pleins de tristesse sur le garçon qu'il avait accompagné si longtemps, frotta son museau sur le bas de sa jambe et se releva lourdement.

Avant que Khay n'ait pu comprendre où il

allait, le chacal avait disparu dans les longs couloirs.

Le garçon eut un geste :

« Attends, je crois me rappeler... »

Et il voulut le suivre, mais le petit chacal se mit en travers de son chemin et l'arrêta, en le fixant d'un regard impérieux.

Khay contempla avec un désespoir soudain le trou noir qui s'enfonçait sous la pyramide.

« Chacal, murmura-t-il d'une voix angoissée, sur le socle... il y avait une statue. Elle était tombée sur le sol. Le côté de la tête était abîmé... C'était une statue d'Anubis, le gardien des morts, le dieu-chacal... »

Mais voilà que le sol se mit à gronder, la terre trembla, et sous les yeux terrorisés de Khay, la pyramide s'effondra doucement sur elle-même.

Chacal...

Khay se laissa tomber sur le sable, et ses larmes roulèrent sur ses joues.

Au loin, dans la nuit, on vit sur le fleuve des bateaux chargés de pierres remonter le courant.

Au matin, il n'y avait plus personne, plus la

moindre trace de la pyramide. Sur les bords du Nil, les paysans, penchés sur le limon laissé par le fleuve, faisaient les semences. On riait, on s'interpellait.

« As-tu faim, garçon ? cria-t-on à Khay. Viens partager notre repas ! »

Khay comprit à peine que c'était à lui qu'on s'adressait. Tout avait-il vraiment changé ?

« Pharaon est donc mort ? bredouilla-t-il.

— Pharaon ? Grâce aux dieux, Pharaon continue de veiller sur son peuple comme de tout temps. Que t'arrive-t-il, garçon ?

— Mais celui qu'on disait le VRAI pharaon... », insista Khay.

Les yeux des hommes se firent vagues, comme s'ils recherchaient un souvenir lointain, sans arriver à le retrouver.

« Il n'y a qu'un pharaon, fils. Le soleil a dû taper sur ta pauvre tête. »

Khay serra le jeune chacal contre lui. Était-il fou ?

Pourtant... il y avait ce petit, le petit du chacal...

« J'ai sans doute fait un mauvais rêve », souffla-t-il en acceptant une datte.

C'est alors que dans la main de l'homme qui lui tendait le fruit, il vit de curieuses marques.

« Qu'est-ce qui vous a fait ces blessures ? » demanda-t-il d'une voix étranglée.

L'homme regarda ses mains, et tous les autres hommes regardèrent leurs mains, et ils y virent une longue usure en creux, une longue usure dont ils ne comprirent pas l'origine. La marque des cordes qui servaient à tirer les blocs de pierre de la pyramide.

Longtemps ils restèrent là, à considérer leurs paumes avec des yeux ébahis, tandis que Khay s'éloignait, le chacal sur les talons.

Ainsi, tout s'effaçait de la mémoire des hommes.

Khay songea au scribe de l'oasis, qui notait chaque jour ce qui se passait. Jamais il ne retournerait là-bas, car il ne voulait plus rien savoir de tout cela.

Mais, sûrement, le scribe l'avait écrit, et ce qui est écrit ne meurt jamais.

ÉVELYNE BRISOU-PELLEN

Évelyne Brisou-Pellen a passé toute sa petite enfance au Maroc. Aujourd'hui, elle vit en Bretagne – region dont elle est originaire – avec sa famille. Après des études de Lettres, elle se destinait à l'enseignement lorsqu'elle se decouvrit une passion pour l'écriture... Passion qui ne s'est jamais dementie et à laquelle elle se consacre maintenant à plein temps. Elle aime explorer, avec ses romans, des territoires chaque fois différents. Cet auteur très appréciée des adolescents ne manque jamais d'aller rencontrer ses lecteurs dans les classes. Évelyne Brisou-Pellen écrit énormement pour la jeunesse et est publiée également chez Averbode, Bayard, Bordas, Casterman, Flammarion, Gallimard, Milan, Nathan, Poket et Rageot.

Table

Composition Jouve - 53100 Mayenne
N° 294764l
Imprimé en Italie par G. Canale & C. S.p.A. - Borgaro T.se (Turin)
Décembre 2004 - Dépôt éditeur n° 52524
32.10.1860.9/09 - ISBN : 2.01.321860.5
Loi n° 49-956 du 16 juillet 1949 sur les publications destinées à la jeunesse
Dépôt légal : janvier 2005